বেজির শেষ উপহার

সুজান ভার্লি

BADGER'S PARTING GIFTS

Susan Varley

Translated by Kanai Datta

This edition published in 1997 by
Magi Publications
22 Manchester Street, London W1M 5PG

First published in Great Britain in 1984 by
Andersen Press, London
Printed and bound in Italy by
Grafiche AZ, Verona

ISBN 1 85430 528 X

বেজিটা খুব নির্ভরযোগ্য আর বিশ্বাস ভাজন ছিল। সর্বদাই সে অন্যকে সাহায্য করতে রাজি।
সে খুবই বুড়ো ছিল। সে জানত যে শীঘ্রই সে মারা যাবে।

Badger was dependable, reliable, and always ready to lend a helping paw.
He was so old that he knew he must soon die.

বেজি মরতে ভয় পেত না। শুধু এইটাই সে বুঝতে চাইত যে ও চলে গেলে ওর বন্ধুরা কেমন বোধ করবে। বেজি ওদের বলেছে যে শীঘ্রই একদিন সে দীর্ঘ সুরঙ্গ দিয়ে চলে যাবে। সে আশা করে যে ঐ সময়ে ওরা দুঃখিত হবে না।
একদিন বেজি দেখল, ছুঁচো আর ব্যাঙ পাহাড়ের গা বেয়ে দ্রুত নেমে গেল। বন্ধুদের সুখী দেখে ও নিজেও বেশ খুশী হল। ওর খুবই ইচ্ছে হল যে সেও ওদের সঙ্গে ঐ ভাবে দৌড়ায়। কিন্তু ওর বুড়ো পা দুটো নিয়ে সেটা সে করতে পারল না।

Badger wasn't afraid of death. His only worry was how his friends would feel when he was gone. Badger had told them that someday soon he would be going down the Long Tunnel, and he hoped they wouldn't be too sad when it happened.
One day, Badger watched Mole and Frog race down the hillside, enjoying the sight of his friends having a good time. He wished more than anything that he could run with them, but his old legs wouldn't let him.

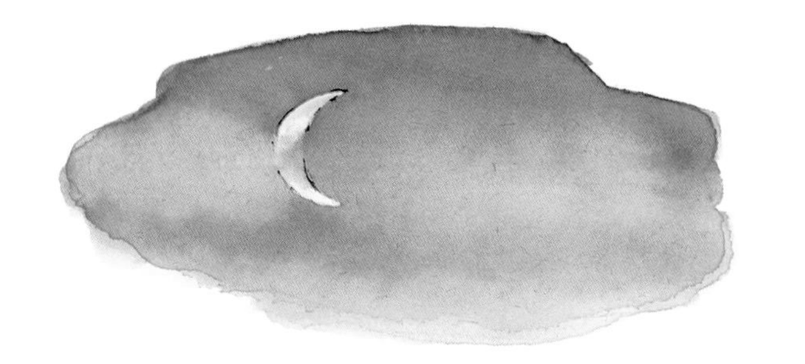

বেশ দেরিতে সে বাড়ি ফিরল। ও চাঁদকে শুভরাত্রি জানাল। তারপর বাইরের ঠান্ডা জগৎকে আড়াল করে পর্দা টেনে দিল। সে একটা চিঠি লিখল। রাত্রের খাবার খেয়ে আগুনের পাশে দোলনা চেয়ারে আরাম করে বসল। সে আস্তে আস্তে নিজেকে দোলাতে থাকল। তারপর শীঘ্রই অঘোরে ঘুমিয়ে পড়ল। তখন সে একটা অদ্ভূত কিন্তু আনন্দের স্বপ্ন দেখল। এমনটা আগে কখনো দেখেনি।

It was late when he arrived home. He wished the moon good night and closed the curtains on the cold world outside. He wrote a letter, had his supper and settled down in his rocking chair near the fire. He gently rocked himself to and fro, and soon was fast asleep, having a strange yet wonderful dream like none he had ever had before.

বেজি অবাক হল যে সে দৌড়াচ্ছে। তার সামনে রয়েছে একটা মস্ত সুরঙ্গ। ওর হাতের লাঠি আর দরকার নাই। তাই সেটা মেঝেতে ফেলে রাখল। লম্বা পথ ধরে সে দ্রুত এগিয়ে চলল। শীঘ্রই ওর থাবা আর মাটি স্পর্শ করছিল না। সে দেখল যে ও পড়ে যাচ্ছে, গড়াচ্ছে কিন্তু ওর কোন কষ্ট হচ্ছে না। নিজেকে মুক্ত মনে হল। যেন ও নিজের শরীরের বাইরে এসে পড়েছে।

Much to Badger's surprise, he was running. Ahead of him was a very long tunnel. He no longer needed his walking stick, so he left it on the floor. He moved swiftly through the long passageway, until his paws no longer touched the earth. He felt himself falling and tumbling, but nothing hurt. He felt free. It was as if he had fallen out of his body.

পরের দিন বেজির বন্ধুরা উদ্বিগ্নভাবে ওর দরজার সামনে জমা হল। বাইরে এসে সে সকলকে সুপ্রভাত জানাল না। সে সব সময় ওটা করত। শিয়াল খবরটা জানাল যে বেজি মারা গেছে। সে সকলের জন্য লেখা বেজির চিঠি পড়ে শোনাল। এতে শুধু লেখা “দীর্ঘ সুরঙ্গ দিয়ে চললাম। বিদায়, বিদায়, বেজি”।
সব জন্তুরাই বেজিকে ভাল বাসত। সকলেই খুব দুঃখিত হল। বিশেষত ছুঁচো নিজেকে একদম একা, সঙ্গীহারা ও দুঃখিতবোধ করল।

The following day Badger’s friends gathered anxiously outside Badger’s door. He hadn’t come out to say good morning as he always did.
Fox broke the news that Badger was dead and read Badger’s note to them.
It said simply, “Gone down the Long Tunnel. Bye Bye, Badger.”
All the animals had loved Badger, and everyone was very sad. Mole especially felt lost, alone and desperately unhappy.

BADGER

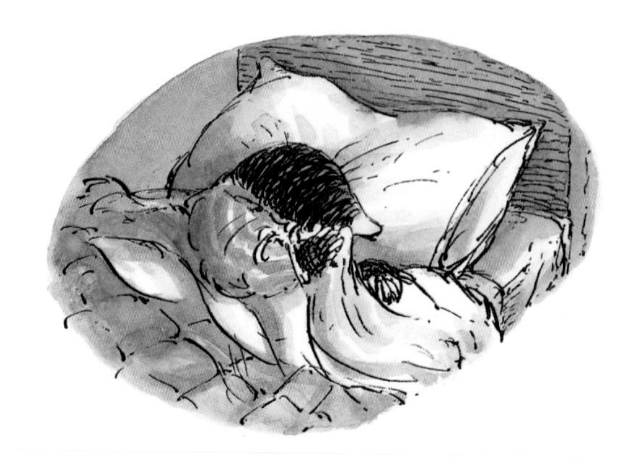

সেই রাত্রে ছুঁচোর চোখের জল নাকের উপর দিয়ে গড়িয়ে পড়ল।
ও ব্ল্যানকেটে জড়িয়ে মুখ ঢাকল। সেইটাও ভিজে গেল।
বাইরে শীত এসে গেছে।

In bed that night Mole's tears rolled down his nose,
soaking the blankets he clung to for comfort.
Outside, winter had begun.

বরফে চারিদিক ঢেকে গেছে। কিন্তু বেজির বন্ধুর দুঃখ তাতে ঢাকা পড়েনি।
কারুর কোন প্রয়োজন হলেই বেজি সেখানে উপস্থিত হত।
সে ওদের দুঃখিত হতে না করেছে।
কিন্তু তারা দুঃখিত না হয়েও পারে না।
বসন্ত আসতে পশুরা দেখা করে পরস্পর বলাবলি করতে থাকল, বেজি যখন বেঁচে ছিল তখনকার কথা।

The snow covered the countryside, but it didn't conceal the sadness that Badger's friends felt.
Badger had always been there when anyone needed him. He had told them not to be unhappy, but it was hard not to be.
As spring drew near, the animals visited each other and talked about the days when Badger was alive.

ছুঁচো খুব ভালভাবে কাঁচি ব্যবহার করতে পারত। বেজি ওকে শিখিয়ে ছিল যে কিভাবে একটা ভাঁজ করা কাগজ কেটে কাগজের ছুঁচো দিয়ে একটা শিকল বানান যায়। একটা পায়ের সঙ্গে আর একটা পা লাগিয়ে যখন ও একটা সম্পূর্ণ শিকল তৈরী করেছিল, তখন যেরকম আনন্দ পেয়েছিল, সেই কথা ওর মনে পড়ল।

Mole was good at using scissors. He told about the time Badger had taught him how to cut out a chain of paper moles from a piece of folded paper.
He remembered the joy he'd felt when he had finally succeeded in making a complete chain of moles with all the paws joined.

ব্যাঙের মনে পড়ল যে বেজি ওকে স্কেটিং শিখিয়েছিল এবং পিছল বরফের উপর প্রথম নিয়ে গিয়েছিল। যতক্ষণ না সে সাহস করে নিজে নিজে গড়াতে শিখেছে ততক্ষণ পর্যন্ত বেজি ওকে সাবধানে শিখিয়েছিল।

Frog recalled how Badger had helped him to skate, and to take his first slippery steps on the ice. Badger had gently guided him until he had gained enough confidence to glide out on his own.

শিয়ালের মনে পড়ল যে ও যখন ছোট শিশু ছিল তখন ও নিজের টাইটা ঠিকমত বাঁধতে পারত না। বেজি সেটা ওকে শিখিয়েছিল– এখন শিয়াল যে কোন রকম ভাবে টাই বাঁধতে পারে।
কোন কোন বাঁধার ঢঙ ও নিজেই বানিয়েছে। ওর নিজের গলার টাই সবসময়ই খুব সুন্দর করে বাঁধা থাকে।

Fox remembered how, when he was a young cub, he could never knot his tie properly, until Badger showed him how.
Fox could now tie every knot ever invented and some he'd made up himself. And of course his own neck tie was always perfectly knotted.

বেজি মিসেস খরগোশকে শিখিয়েছিল কেমন করে জিনজারব্রেড খরগোশ বানাতে হয়।
এখন সে একজন ওস্তাদ রাঁধুনী।। সে যখন বেজির রান্না শেখার কথা বলেছিল তখন
যেন সদ্য কাছ থেকে জিনজারব্রেড তৈরী করার গন্ধ পেল সে। প্রতিটি পশুই মনে করল
বেজি তাকে কি শিখিয়েছিল এবং সেটা কত পটুভাবে এখন সে করতে পারে।
সে ওদের সকলকে এমন একটা শেষ উপহার দিয়ে গেছে যেটা সবসময়
ওরা সম্পদ বলে মনে রাখবে। তাতে ওরা পরস্পরকে সাহায্য করতে পারবে।

Badger had shown Mrs Rabbit how to bake gingerbread rabbits. She was now an excellent cook. As she talked about her first cooking lesson with Badger, she could almost smell the gingerbread, fresh from the oven. Each animal remembered something Badger had taught them that they could now do well. He had given them a parting gift to treasure always, so that they could help each other.

বরফ গলে পড়ার সঙ্গে সঙ্গে পশুদের দুঃখও চলে গেল। যখনই বেজির কথা ওঠে কেউ না কেউ আর একটা গল্প মনে করে। তাতেই সকলেই খুশী হয়।
একদিন ছুঁচো পাহাড়ের যেখানে বেজিকে শেষ বারের মত দেখেছিল সেখান দিয়ে হাঁটছিল। সে বন্ধুকে তার শেষ উপহারের জন্য ধন্যবাদ জানাতে চাইল।
"ধন্যবাদ বেজি," খুব আস্তে সে বলল, ভাবল বেজি যেন সেটা শুনল।
এবং ... কোনভাবে ... বেজি শুনেছিল।

As the snow melted, so did the animals' sadness. Whenever Badger's name was mentioned, someone remembered another story that made them all smile.
One day as Mole was walking on the hillside where he'd last seen Badger, he wanted to thank his friend for his parting gift.
"Thank you, Badger," he said softly, believing that Badger would hear him.
And . . . somehow . . . Badger did.